AVENTURAS
DE LOS
TRILLIZOS ABC

AVENTURAS DE LOS TRILLIZOS ABC

HILDE KÄHLER-TIMM

Traducción de Rafael Arteaga

Ilustraciones de Daniel Rabanal

GRUPO
EDITORIAL
norma

Barcelona, Bogotá, Buenos Aires, Caracas,
Guatemala, Lima, México, Miami, Panamá, Quito,
San José, San Juan, San Salvador, Santiago de Chile.

Título original en alemán:
WIR SIND DAS ABC,
de Hilde Kahler-Timm.
Una publicación de Erika Klopp Verlag.
Copyright © 1990 por Erika Klopp Verlag GmbH Berlin,
München.

Copyright © 1994 para todos los países de habla hispana
por Editorial Norma S. A.
A.A. 53550, Bogotá, Colombia.
Reservados todos los derechos.

Primera reimpresión, 1995
Segunda reimpresión, 1996
Tercera reimpresión, 1996
Cuarta reimpresión, 1996
Quinta reimpresión, 1997
Sexta reimpresión, 1997
Impreso por Cargraphics S. A. — Imprelibros
Impreso en Colombia — Printed in Colombia
Mayo, 1997

Dirección editorial, María del Mar Ravassa G.
Edición, Catalina Pizano y Cristina Aparicio
Dirección de arte, Mónica Bothe

ISBN: 958-04-2377-6

CONTENIDO

CAPÍTULO I

LOS HERMANOS ABC
LLEGAN AL MUNDO

Los hermanos ABC nacieron un primero de abril.[1]

A veces, el primero de abril suceden cosas muy singulares. Sucede por ejemplo que toda la familia exclama: «¡Por Dios, tienes la cara llena de puntos rojos!» Y cuando uno se mira en el espejo no descubre ni un solo puntito rojo. En el periódico, aparece que la escuela se incendió. Uno corre hasta allá, pero la escuela está intacta. Y para el almuerzo no

---

1. El primero de abril es el «Día de los Inocentes» en Alemania (*N. del Editor*).

hay ancas de rana con salsa de moscas, como mamá dijo por la mañana, sino algo completamente normal. Por eso, cuando nacen niños el primero de abril, hay que estar preparados para todo.

Gina y Claudio, los padres de los hermanos ABC, estaban muy preparados para la llegada de sus mellizos. Habían comprado dos cunas, un cochecito doble, dos sonajeros, dos chupetes, dos patos de plástico y una cama de dos pisos. Gina quería que la niña se llamara Beatriz y el niño Andrés.

Claudio quería que el niño se llamara Benito y la niña Andrea. Este problema no se había resuelto cuando Gina llegó a la clínica la mañana del primero de abril. A las doce del día nació un niño.

—¡Andrés! —gimió Gina.

Claudio se quedó callado, pensando en el nombre «Benito». A las doce y diez nació otro niño que se veía exactamente igual al primero.

—¡Benito! —exclamó Claudio orgulloso.

Los médicos y las enfermeras felicitaron a los nuevos padres, pero Gina no los escuchó. A las doce y treinta, para sorpresa general, nació otro niño que se parecía tanto a los dos primeros como un huevo a otro. Más tarde se dieron cuenta de que era un centímetro más pequeño que sus hermanitos. Por esta razón, y también por haber llegado de último, lo llamaron «el pequeño».

—¿Ya terminaste, Gina? —preguntó Claudio un poco asustado.

—Creo que sí —sonrió la cansada madre.

Los médicos miraban perplejos al tercer bebé. Nadie entendía en dónde se había escondido este niño durante todos esos meses.

—A... Andrés, B... Benito, ¿C..., C? —susurró mamá.

—C..., C..., podría ser Carlos. ¿Qué tal te parece Carlos, mi amor? —susurró papá, que se sentía un poco mareado pues en sólo media hora se había convertido en el padre de tres niños.

—Así se llamaba mi abuelo —dijo mamá con voz apagada—. ¿No crees que ese nombre está un poco pasado de moda?

—Estoy tan confundido que no se me ocurre ningún otro nombre que empiece por C —dijo papá—. ¿Qué tal César?

—Podríamos llamarlo Carlitos —suspiró mamá.

Después se les ocurrieron otros nombres, como Cristóbal, o Camilo, o Claudio, como papá, pero el pequeño se quedó Carlos.

Dos días más tarde, en el periódico, apareció un titular que decía: «Los trillizos ABC de Villa Hermosa». Abajo había una foto de una madre bastante agotada que sostenía en sus brazos tres pequeños envoltorios, de los cuales se asomaban tres cabecitas calvas exactamente iguales. Al lado de ella estaba el padre, que también se veía muy cansado. Gina y Claudio recortaron la foto, la pusieron en un marco y la colgaron en la pared.

Seis años después mamá colgó debajo otra foto que decía: «Los trillizos de Villa Hermosa entran al colegio». A la izquierda aparecía Andrés, a quien ahora llamaban Andi, con una enorme letra A en el suéter. A la derecha estaba Benito, a quien ahora llamaban Beni, y tenía una B

en el suéter. Y el del centro, el de la C, era Carlos, quien todavía seguía llamándose Carlos y todavía seguía siendo exactamente un centímetro más pequeño que sus hermanos.

Por consideración con los profesores, Gina había cosido las letras en todos los suéteres y camisetas de los niños, pues era imposible distinguirlos, incluso mirándolos con lupa. Solamente Gina podía hacerlo y decía que eran muy distintos uno del otro. Nadie más pensaba lo mismo. Muchas veces Claudio no sabía a cuál de sus hijos tenía enfrente, especialmente cuando tenía prisa.

—¡Andi-Beni-Carlos! —decía por precaución—, ¡por favor no untes todo de dentífrico!

Pero la mayoría de las veces, al igual que mamá, únicamente decía:

—¡ABC! —así resultaba más rápido—. ¡ABC, a comer! ¡ABC, es hora de irse a la cama!

Cuando los trillizos entraron al colegio, a Andi le correspondió el curso Primero A, a Beni, el Primero B y a Carlos, el Primero C.

Lo de las letras en los suéteres había sido una idea muy buena, tanto para los profesores como para Andi, para Beni y para Carlos: En el segundo año los trillizos descubrieron que si alguno de los tres tenía un problema, podía intercambiar su suéter con el de alguno de sus hermanos.

Por ejemplo, en matemáticas, Beni añoraba ser Andi. Andi sacaba un diez tras otro, en cambio Beni se balanceaba siempre al borde del seis. Una vez incluso cayó de este borde en la profundidad de un cinco.

—Tal vez Beni debe repetir el año —murmuraban papá y mamá en la sala. Y cuando murmuraban tanto, las cosas se ponían serias.

Entonces Andi cambió de suéter con Beni en el baño, durante el recreo, antes de la clase de matemáticas. Fabio, el compañero de pupitre de Beni, lo vio todo, pero no dijo ni una sola palabra pues pensó que era dos veces mejor copiarle a Andi que a Beni.

Para Andi no era difícil actuar como Beni. Sólo tenía que agacharse bastante sobre el cuaderno de Beni y garabatear y hacer algunos borrones. También hizo un par de errores. De lo contrario al profesor Marín le hubiera parecido sospechoso que Beni se hubiera vuelto inteligente de un día para otro. Mientras tanto, Beni asistió a la clase de educación física de Andi con la A en el uniforme. La señora Torres con sus gruesas gafas no podía distinguir si el que corría y saltaba era Andi o Beni.

Al día siguiente el profesor Marín le dijo amistosamente a Beni:

—¿Ves que las cosas salen bien cuando te concentras y haces los ejercicios con cuidado? ¡Sacaste ocho!

Todos quedaron satisfechos: Andi, el profesor Marín, mamá y papá. Sin embargo, Beni no estaba satisfecho, aunque no sabía por qué.

Papá le acarició la cabeza y le dijo:

—Bien hecho, hijo.

Beni se puso rojo y miró hacia el piso. Por la noche mamá se sentó en su cama y Beni tuvo ganas de contarle todo. Tenía una extraña sensación en el estómago. Sin embargo, mamá se habría enojado mucho, o se habría puesto muy triste. Además, Andı estaba acostado en la cama de encima y no podía delatarlo, así que Beni tuvo que dormirse con el dolor de estómago.

Andi, por el contrario, no tuvo ni siquiera un poquito de dolor de estómago. Se sentía feliz y estaba convencido, aunque no lo dijera en voz alta, de que era un gran muchacho. Por eso la semana siguiente le ayudó a Carlos con la clase de violín.

CAPÍTULO II

CARLOS APRENDE A TOCAR VIOLÍN

Carlos era menos hábil que sus hermanos en casi todo. No hablaba muy bien y por la calle siempre caminaba un poco atrás de los otros dos. Siempre era «el pequeño». Sin embargo, había algo que hacía mucho mejor que sus hermanos: Cantaba muy bien y desde los primeros grados sabía leer las notas musicales. Ahora aprendía con mucha facilidad a tocar violín.

—Igual que mi tía Emma —dijo orgullosa mamá.

—Disculpa, mi amor, no tengo nada en

contra de la tía Emma —dijo cautelosamente papá—. Pero, ¿te acuerdas que un primo de mi padre era trompetista en una orquesta famosa? ¿No crees que lo musical viene más de mi parte...?

—No —dijo mamá—. No creo. Tú cantas como un cuervo y no distingues una nota de otra —a veces, mamá era cruel.

En todo caso Carlos tenía mucho talento. La señora Juliao, su profesora de violín, pensaba lo mismo. Era una señora muy alta y corpulenta y parecía que se afeitara por las mañanas. Lo que más le asombraba a Carlos eran sus pies: calzaba más que papá y tanto en verano como en invierno se ponía unas gruesas medias de lana y unas sandalias. Al principio había sentido miedo de la señora Juliao, al igual que papá (Carlos había oído cómo papá le susurraba a mamá el día que conocieron a la señora Juliao).

El señor Juliao se había ido un día, según contó la señora Juliao.

—Cuando Juliao desapareció con todo el dinero, me vi obligada a dar clases de violín —dijo furiosa—. Eso no es precisamente lo que una artista como yo merece.

—Carlos viene solamente a manera de prueba —dijo mamá por si acaso.

Todos se sorprendieron cuando se dieron cuenta de que Carlos iba gustoso a donde la señora Juliao. Y todo sucedió así: en la primera clase la señora Juliao no hizo más que refunfuñar. Le quitaba una y otra vez a Carlos el arco de la mano y le explicaba cómo tomarlo correctamente. Le empujaba y le jalaba el violín por debajo de la quijada y le levantaba la cabeza de una manera no muy suave, murmurando de vez en cuando:

—¡Que Juliao me haya hecho esto! ¡Tener yo que hacer esto!

Mientras tanto, Carlos pensaba cómo preguntarle algo que le inquietaba mucho, hasta que tuvo suficiente valor para decir tímidamente:

—¿No le dejó ni siquiera unas monedas?

Para sorpresa suya, la señora Juliao empezó a reír ruidosamente. Era una risa profunda, pero de ninguna manera desagradable. Cuando terminó de reír dijo:

—No, ni un solo centavo, pero gracias a Dios no se llevó mi violín.

Entonces tomó el violín y empezó a tocar, y desde ese día Carlos empezó a admirar a la señora Juliao. Tocaba el violín de tal manera que Carlos se olvidó del feo salón de clase con los pupitres vacíos, y pensó que podía oírla el día entero. Tocaba de tal manera que ya no le importó más lo de los pies y lo de la barba. Desde ese día Carlos asistió con mucho entusiasmo a la clase de violín. Andi y Beni no entendían por qué practicaba tanto cuando estaba en casa; ellos no sabían que Carlos quería llegar a tocar el violín tan bien como la señora Juliao.

Un día Carlos se encontró con que no podía ir a la clase de violín, y tampoco tenía una excusa por escrito para llevarle a la señora Juliao. Siempre tenía clase de violín después del colegio, pero ese día tenía que quedarse castigado. Había lanzado avioncitos de papel en clase y el profesor Rincón se había puesto furioso.

Durante ese mes ya lo habían castigado dos veces y papá había dicho: «Si esto vuelve a pasar otra vez, no irás con nosotros al circo». Todos querían ir al

circo que iba a estar en la ciudad solamente por dos días, y tenían boletos de entrada para el domingo. Carlos no veía el momento de que fuera domingo. Pero si llegaba a casa y contaba que lo habían castigado y que no podría ir a clase de violín las cosas iban a ser difíciles porque papá siempre hacía lo que decía.

En el recreo Carlos se fue al rincón del patio y se puso a hacer huecos en la arena con la punta del zapato.

—¿Qué te pasa? —le preguntó Andi.

Carlos le contó. Tenía la voz apagada y triste. Había hecho varios huecos porque estaba furioso consigo mismo.

—Eres un gran tonto —le dijo Andi. Pero no estaba disgustado, sino que sentía lástima por Carlos. Tapó con la punta del zapato los huecos que Carlos había hecho, y luego le dijo:

—¿Sabes qué? Yo puedo ir a la clase de violín.

—¿Tú? —sonrió Carlos tristemente—. ¡Pero si ni siquiera conoces las notas musicales!

—¿Qué importa? —Andi estaba entusiasmado con su idea—. Cuando fui a la clase de matemáticas de Beni todo me salió bien. ¿Por qué no habría de irme bien en tu clase de violín? Le dije a mamá que iría a donde Cristina después de clases, así que no hay ningún problema.

—No sé —dijo Carlos titubeando—, la señora Juliao se va a dar cuenta enseguida.

—¡No se va a dar cuenta! Puedes confiar en mí, pequeño —le dijo orgullosamente.

Carlos no pensaba sino en el circo. De lo contrario no hubiera aceptado la sugerencia de Andi, pues nadie sabía tan bien como él lo difícil que era tocar violín. Pero a lo mejor todo le saldría bien a Andi. A lo mejor podía tocar violín sin haber aprendido. Andi era capaz de hacer tantas cosas...

Después de la última clase, Carlos se puso el suéter de Andi. Se lo puso al revés, de manera que la gran A quedó hacia adentro, y se fue a donde el profesor Rincón a cumplir el castigo. Andi se puso el suéter con la C, tomó el violín con una mano, la maleta con el libro de música en la otra y se dirigió hacia el gimnasio, en donde tenía lugar la clase de violín. Estaba muy contento.

CAPÍTULO III

ANDI APRENDE A TOCAR VIOLÍN — CASI

Una vez adentro, Andi se metió en el baño durante un buen rato para que la hora de clase fuera menos larga. Se desanimó un poco cuando se encontró frente a la señora Juliao y ella lo miró desde arriba.

—Bueno —dijo—. Saca tu violín. Vamos a ver si has practicado.

A Andi le dolió el estómago. ¡La profesora quería empezar de inmediato!

—¿Puedo abrir la ventana? Está haciendo calor —dijo. Mientras abría lentamente la ventana pasaron unos cuantos minutos.

—Ya la abriste —dijo la señora Juliao—. Empecemos.

Andi acarició el cierre de la caja de violín, le dio la vuelta a la caja, la sacudió, pero no la abrió.

—El cierre está trabado —dijo Andi en voz baja y levantó la vista hacia la señora Juliao. Sobre el labio superior le crecía un fino bigote color café, tal como había dicho Carlos.

La señora Juliao oprimió el cierre con su grueso dedo índice y la caja se abrió.

Andi abrió lentamente la tela en la que estaba envuelto el violín y lo sacó. Luego sacó el arco y lo puso sobre la mesa junto al violín. La maleta con el libro de música tampoco se abrió fácilmente. La señora Juliao tuvo que oprimir nuevamente con el dedo el sitio correcto para que Andi pudiera sacar el libro. Carlos había puesto un papel para marcar la pieza que debía practicar, pero el papel se había caído.

Andi sintió que el estómago se le encogía de miedo. ¿Ahora qué? Fingió que iba a toser, se inclinó hacia adelante y miró de reojo hacia el atril de la señora Juliao para ver qué pieza tenía. ¡La número 156! Abrió el libro en la pieza número 156 y lo puso en el atril. «Adagio en re menor. Golpe bajo con todo el arco», decía. ¿Qué diablos quería decir eso? Andi tosió una vez más.

—¿Estás resfriado? —preguntó la señora Juliao.

—Sí —dijo Andi rápidamente—. Estuvimos de pesca el fin de semana y... —empezó a contar una larga historia de cómo habían llegado hasta el río, de cómo habían pescado...

—Entonces cierra la ventana —dijo la señora Juliao interrumpiéndolo en medio de aquella historia que por lo menos hubiera durado diez minutos. «¡Qué señora ésta!», pensó Andi mientras arrastraba lentamente los pies hacia la ventana. Hizo todo lo posible por demorarse cerrándola, pero la señora Juliao estaba impaciente y carraspeó ruidosa y enérgicamente, así que la operación duró menos de lo que Andi hubiera querido. La señora Juliao esperaba el adagio. De pronto Andi se inclinó hacia adelante y golpeó la ventana.

—¿Y ahora qué pasa? —preguntó la señora Juliao.

—Allí, allí... ¡allí abajo está mamá! —exclamó Andi.

La señora Juliao fue

—¿Dónde? —preguntó.

—Allí —Andi señaló con el dedo hacia una señora que en ese momento pasaba con una bolsa de compras.

—Tú mamá no es rubia, sino de pelo castaño. Además ella es una cabeza más alta que esa señora y mucho más delgada —dijo la señora Juliao.

—Ah, sí... —tartamudeó Andi. Había olvidado que la señora Juliao conocía a su mamá—. Creo que necesito gafas —dijo confundido.

—Eso creo yo también —refunfuñó la señora Juliao—. Y ahora por favor el adagio —no dijo a-da-gio, como estaba escrito en el libro, sino a-da-yio, pero Andi creyó conveniente no corregirla. Pasó saliva. Lentamente tomó el violín. Muy lentamente tomó el arco con la otra mano.

—¿Qué tal si tomas el violín con la mano izquierda y el arco con la derecha? —preguntó la señora Juliao.

Andi se puso rojo.

—Perdón —dijo. Pasó el violín a la mano izquierda y tomó el arco en la derecha. Al mismo tiempo miró rápidamente de qué manera sostenía la señora Juliao el violín y el arco, pues ella también había sacado su instrumento de la caja.

—Estoy esperando —dijo la señora Juliao.

Andi miró las notas. En su frente aparecieron gotas de sudor. ¿Por qué se le había ocurrido ir a esa clase? Le daba lo mismo que Carlos fuera o no al circo.

Desesperado levantó el arco y lo puso sobre las cuerdas, tal como había visto hacerlo a Carlos, y lo pasó sobre ellas. Se produjo un sonido tan espantoso que, del susto, casi se le cae el violín de la mano. No se atrevía a mirar a la señora Juliao. Por un momento reinó el más absoluto silencio.

De pronto, desde arriba, la punta de un arco de violín señaló la primera nota del libro de música.

—¿Qué nota es ésta? —preguntó la señora Juliao con una voz que sonó poco amistosa.

Todas las notas parecían iguales. «Puntitos negros como caca de mosco», pensaba Andi, «con largos cuellos». La caca de mosco que ella señalaba estaba precisamente debajo del título «Adagio en re menor»

—Eh... ¿re menor? —trató de adivinar Andi.

—Claro, re menor. Si lo sabes ¿por qué no lo tocas? Otra vez, por favor.

«Va a gritar. O me va a dar una bofetada», pensó Andi. «Me va a doler. Tiene unas manos enormes». Levantó tembloroso el arco.

En ese momento golpearon a la puerta. ¡Qué suerte! Golpearon otra vez, un poco más fuerte.

—¡Siga! —dijo la señora Juliao.

En la puerta apareció el portero con dos hombres con uniformes azules.

—Disculpe —dijo el portero—, vamos a revisar la calefacción. No nos demoramos.

«Por favor demórense», pensó Andi.

Los obreros apagaron la calefacción, escarbaron por aquí y por allá, dieron algunos golpes y terminaron muy rápido.

—Disculpe la molestia —dijo el portero cuando salieron.

En ese momento se oyó una sirena en la calle. Andi se precipitó hacia la ventana. Un carro de bomberos pasaba velozmente y dobló la esquina. La sirena dejó de sonar.

—Hay un incendio a la vuelta —gritó Andi—. ¿Vamos a mirar?

—No —dijo la señora Juliao—. Vamos a oír el «Adagio en re menor».

Andi empezó a toser y tosió hasta que estuvo rojo como una llamarada y en sus ojos había lágrimas. Podía toser fabulosamente cuando quería.

—¿Puedo... puedo tomar un poco de agua? —preguntó medio ahogado.

—Parece que tienes un tremendo resfriado —dijo la señora Juliao—. En el corredor hay una llave.

Andi salió al corredor, abrió la llave muy, muy lentamente, tomó un sorbo de agua muy, muy lentamente y cerró de nuevo la llave muy, muy lentamente. Se arrastró hacia el violín de Carlos como si fuera un anciano de noventa años.

—Siéntate —le dijo la señora Juliao.

Andi la miró sorprendido.

—Con un resfriado así nadie puede tocar —dijo ella—; voy a tocar para ti.

Andi estaba dichoso. Estaba tan contento que ni siquiera oyó lo que tocó la señora Juliao. Probablemente sí tocaba el violín tan lindo como decía Carlos, pero a Andi le daba lo mismo. ¡Si ella quería tocar algo para él, bien podía tocar tambor con una olla con tal de que él no tuviera que tocar nada!

Cuando sonó la campana la señora Juliao terminó con un prolongado golpe de arco. Andi empacó sus cosas en un abrir y cerrar de ojos. Le dio la mano a la señora Juliao y de alivio hizo una pequeña inclinación al tiempo que decía:

—¡Hasta luego! —y corrió hacia la puerta henchido de orgullo. ¡Realmente había engañado a la señora Juliao! Había salvado a Carlos. Estaba tan orgulloso que estaba casi seguro de haber aprendido a tocar violín.

Entonces oyó detrás de él la voz de la señora Juliao:

—¡Espera...!

Andi, que había llegado a la puerta, dio la vuelta. La señora Juliao escribía algo en su cuaderno de notas y no levantó la vista.

—Antes de que se me olvide —dijo tranquilamente—, saluda a Carlos de mi parte y dile que practique el ejercicio número 157.

CAPÍTULO IV

NAVIDAD SIN GRACIELA

—Todos, todos los años tenemos el mismo disgusto en Navidad —gruñó papá y golpeó la mesa con la mano tan fuertemente que la corona de Navidad con las tres velitas encendidas empezó a bailar.

—¡Ten cuidado! —gritó mamá.

Los hermanos ABC miraban muy interesados a papá y a la tambaleante corona de Navidad. Conocían muy bien las campanas de Navidad, los árboles de Navidad y los pasteles de Navidad, pero aquello de «disgusto en Navidad» era algo nuevo para ellos.

—¡Desde que nacieron los niños —gritó papá—, no hemos podido pasar una Navidad solos! ¡Ni una sola Navidad sin Graciela! —y al decir Graciela golpeó nuevamente la mesa. Mamá apagó las velitas por si acaso.

—A mí también me gustaría que pasáramos la Navidad solos —dijo—. ¿Pero cómo podemos permitir que tu prima se quede sola ese día?

—¡Los primos son familiares lejanos! —gritó papá—. ¿Además, por qué no puede irse de vacaciones a alguna otra parte? Y lo peor es ese perro...

—Es mejor que hablemos de esto después, cuando te calmes —dijo mamá—. Por ahora desayunemos tranquilamente y no discutamos; al fin y al cabo estamos en época de Navidad. ¿Quieres torta con nueces?

Papá miró disgustado la torta. Parecía que no podía dejar de pensar en la tía.

Los trillizos también pensaban en la tía Graciela. Desde que se acordaban, todos los años el día de Navidad, a las dos en punto de la tarde, tocaban a la puerta y la tía Graciela entraba precipitadamente.

Dejaba los paquetes y el bolso en un rincón, le entregaba a mamá un ramo de flores y abrazaba a los trillizos antes de que se pudieran escapar. Los apretaba contra su enorme busto y parecía querer comérselos a besos. Enseguida buscaba con la vista a papá. «¿Dónde está Claudito?» La tía Graciela era diez años mayor que papá y por eso lo llamaba así. A papá, por supuesto, no le gustaba que lo llamara así.

Papá se encerraba en la sala y pretendía arreglar el árbol de Navidad. Pero no le servía de nada encerrarse. La tía Graciela trataba de abrir la puerta, y si no podía lo llamaba desde afuera, canturreando: «¡Claudito, aquí estoy!»

Resignado, papá abría la puerta luego de unos instantes.

A través de la puerta se escuchaban sus palabras de admiración acerca del arbolito navideño. Según ella era el árbol más lindo que había visto en toda su vida, y estaba increíblemente bien adornado. «¡Mejor que el del año pasado!», decía todos los años.

«Pero está un poco torcido», decía

papá. A pesar de sus esfuerzos, nunca había logrado que el árbol de Navidad quedara derecho.

«Eso no importa», decía la tía Graciela. «En los bosques todos los árboles están un poquito torcidos. ¡Y, sin embargo, se ven hermosos!» Luego preguntaba: «¿Te puedo ayudar en algo, Claudito?», y papá decía: «¡No, gracias, ya todo está listo!» Enseguida iba a la cocina y le preguntaba lo mismo a mamá, pero mamá siempre le decía que ya todo estaba listo y que era mejor que se estuviera un rato con los trillizos.

A los hermanos ABC les encantaba ir a la habitación con la tía Graciela y con King, su perrito lanoso. King se dejaba acariciar solamente cuando estaba en el regazo de la tía Graciela. Sabía hacer algunas maromas, como saltar por encima de una regla, bailar sobre las patas traseras y dar la mano. Era muy gracioso. También les gustaba jugar dados con ella, pues la tía lanzaba los dados con tanta fuerza què frecuentemente caían al piso y quedaban debajo de las camas. Otras veces les contaba cuentos de indios que le arrancaban el cuero cabelludo a los colonos o de criminales que andaban lenta y silenciosamente en medio de la niebla londinense. Sus historias eran muy entretenidas, pero hablaba tan fuerte que mamá venía y le decía que era mejor que no les contara esas historias miedosas a los niños, sino historias navideñas.

La tía Graciela decía que no sabía historias navideñas. Sin embargo, se conmovía mucho cuando, luego de tomar café, iban a la iglesia a ver el pesebre y a cantar villancicos. Cantaba tan fuertemente que algunas personas se volteaban a mirarla. A Carlos le encantaba oír cantar a la tía Graciela.

El año pasado la tía sacó sus regalos sólo después de que Andi y Beni recitaron poesías junto al árbol de Navidad y de que Carlos tocó un par de canciones navideñas en el violín.

Hay personas que regalan algo que uno ha pedido y hay personas que regalan sorpresas. La tía Graciela siempre regalaba sorpresas, es decir, cosas que no había manera de usar. A papá le regaló una vez un balde plateado para enfriar el champán y en otra oportunidad una máscara de madera africana. A mamá le regaló una vez un par de patines y en otra oportunidad una loción para después de afeitarse. Claro que fue una equivocación, pues la tía pensó que era un perfume. A los trillizos les había regalado candeleros y lámparas. Algunas veces la tía les daba las facturas de los regalos para que los cambiaran, pero como no era muy ordenada casi nunca las encontraba. Siempre quedaba admirada de lo que los trillizos habían hecho con sus propias manos para regalarle y afirmaba que nunca le habían regalado algo tan bonito. Y nuevamente se los comía a besos.

El año anterior, durante la repartición de los regalos, King se había enloquecido. Mientras Carlos tocaba el violín, aullaba, corría en círculos, escondía la cabeza entre los cojines de los sofás y de un mordisco le había roto las medias de nailon a mamá quien, por excepción y por ser Navidad, no llevaba pantalones largos.

«¡Está nervioso!», había exclamado la

tía Graciela. «No se disgusten con él. Es un perrito muy nervioso».

«Si yo fuera el perro de Graciela también estaría mal de los nervios», le había dicho papá a mamá después de que Graciela se había ido, mientras él se recuperaba tendido en su sillón. Mamá se encontraba tendida en el otro sillón con la pierna vendada y también trataba de recuperarse.

—Bueno, pero después de todo —dijo mamá—, tenemos que reconocer que Graciela es adorable.

—Sí —reconoció papá—. Lo que pasa es que es un poco exagerada en todo lo que hace.

—¿Qué significa «exagerada», papá? —preguntó Beni.

—Desesperante —respondió él.

En ese instante sonó el teléfono.

—¿Sí? —dijo papá—. Ah, eres tú, Graciela. Precisamente estábamos hablando de ti —apartó el auricular del oído pues la voz de ella sonaba tan fuerte que todos alcanzaban a escucharla. Tan sólo que no se entendía lo que decía.

—Ah —dijo papá—, ¿de verdad? Qué lástima... —pero a pesar de que algo era una lástima, la voz de papá se oía verdaderamente alegre. Le dirigió una sonrisa a mamá—. ¡Pero si todos los años... sí, bueno, si te parece lo mejor... sí, nosotros cambiamos los regalos... sí, sí, bueno, entonces hasta pronto, Graciela! —papá colgó el teléfono, fue hacia donde estaba mamá y le dio un beso en la punta de la nariz—. Navidad solitos —dijo—. Por primera vez, los cinco solos. Ella se va esta noche para donde una amiga.

—¿A dónde cuál amiga? No me había dicho nada —dijo mamá.

—No sé, ni me importa —dijo papá—. Imagínate, ¡Navidad solos! ¡Navidad sin Graciela!

CAPÍTULO V

UNA VERDADERA NAVIDAD

Por fin era de nuevo Nochebuena. ¡Realmente Nochebuena! Después del almuerzo, que fue muy frugal como siempre en este día, los trillizos estaban muy aburridos en su habitación. El tiempo pasaba lentamente. Cuando, después de una eternidad, miraban el reloj, resultaba que solamente habían pasado cinco minutos. Por fin el reloj del corredor dio las dos de la tarde. Los trillizos corrieron hacia la puerta de la casa. Mamá salió de la cocina y papá trató de esconderse en la sala, pero se detuvo y dijo:

—Ah, pero si Graciela no va a venir este año. Se me había olvidado.

—Sí —dijo mamá—. Ya iba a abrirle la puerta.

Los trillizos regresaron lentamente a la alcoba a aburrirse de nuevo. Las manecillas del reloj seguían avanzando a la velocidad de un caracol.

—¿Qué hacemos, mamá? —preguntó Carlos.

—Jueguen «Monopolio» —contestó mamá desde la cocina.

—No tiene gracia —dijo Beni.

—Entonces jueguen «Lotería» —sugirió mamá.

—¡Qué aburrido! —gritó Carlos.

—Pero si siempre juegan «Lotería» con Graciela —dijo papá, que pasaba en ese momento con un destornillador y varios pedazos de madera en la mano. Iba a arreglar el árbol de Navidad que estaba torcido como todos los años, sólo que este año estaba aún *más* torcido.

—No nos gusta jugar sin la tía Graciela —dijo Andi.

—Escuchen música —dijo mamá.

—Ya nos sabemos todas las canciones

de memoria —dijo Beni protestando—. ¿Qué hacemos, mamá?

—Traten de no enloquecerme —dijo mamá.

—Podríamos pelear —sugirió Andi—, a ver quién es el más fuerte.

Naturalmente decía eso porque él era por ahora el más fuerte. Por esa razón a Beni y a Carlos no les entusiasmó mucho la idea y no dijeron nada cuando mamá gritó desde la cocina:

—¡Nada de peleas el día de Navidad!

Carlos se fue caminando lentamente hacia la sala. ¡La puerta estaba sin seguro! Carlos la abrió un poquito y miró hacia adentro. Vio las piernas de papá debajo del árbol de Navidad, el cual se movía de aquí para allá.

—¿Te ayudo, papá? —le preguntó compadeciéndose.

—¡Sal de aquí! —gritó papá.

Mamá vino rápidamente desde la cocina y quitó a Carlos de la puerta.

—¿Qué estás haciendo ahí? ¡Vas a ver todos los regalos! —dijo regañándolo.

En realidad lo único que Carlos había visto eran las suelas de los zapatos de papá. A espaldas de mamá, los trillizos se deslizaron a hurtadillas en la cocina y estaban metiendo los dedos en el dulce de frambuesa cuando mamá regresó. Inmediatamente fueron enviados de nuevo a la habitación. Mamá prefería cocinar sola.

—Voy a dormir un rato —dijo Beni—, así podré quedarme despierto hasta la media noche.

Se acostó en la cama. Carlos y Andi apagaron la luz y también se acostaron.

—Respiras muy duro —le dijo Beni a Carlos, quien dormía en la cama de abajo.

—No es cierto —dijo Carlos ofendido—. ¡No estoy haciendo ningún ruido! Además estaba dormido y me despertaste.

—¡Silencio! —gritó Andi—. ¡Dejen dormir!

—Quedémonos en completo silencio —dijo Carlos—. Así nos dormiremos. Y el que diga algo tiene que pagar una penitencia.

Se quedaron en silencio y con los ojos cerrados. Durante un rato oyeron a

mamá trabajando en la cocina y a papá preparando todo en la sala. Oían pasar los automóviles y el tictac del reloj, pero era muy triste y muy aburridor no poder decir nada. Con la tía Graciela todo era mucho más divertido.

Al rato oyeron que papá salía de la sala y se quedaba parado en el corredor. Luego abrió la puerta de la alcoba de los niños y rugió:

—¿Qué están haciendo ahora?

—Dormíamos —dijo Beni disgustado—. ¡Y nos acabas de despertar!

—Ah —balbuceó papá—, lo siento mucho. Como estaban tan callados creí que estaban haciendo alguna travesura.

—Bueno, ahora tienes que pagar una penitencia —dijo Andi satisfecho.

—Tres —exigió Carlos.

—¡Y también puedes alistar la mesa, y decirles a los niños que vengan! —gritó mamá.

Los trillizos saltaron de sus camas y se pusieron la ropa que mamá había alistado especialmente para la noche de Navidad. Luego fueron a la cocina a tomar café, pues se les estaba haciendo tarde para ir a la iglesia. Había pan trenzado con uvas pasas y pastel.

Las tres velas de la corona de Navidad estaban prendidas y sobre la mesa había una taza de más.

—Oh —dijo papá avergonzado y la retiró.

Mamá sonrió.

—Por equivocación preparé seis merengues para la cena. Y también compré seis tajadas de pavo. ¿No les parece curioso?

La escenificación del nacimiento fue igual a la de todos los años. Fabio, el compañero de Beni en la escuela, que hacía el papel de José, se equivocó dos veces. En la escuela siempre le pasaba lo mismo cuando tenía que decir algo de memoria. Nayibe, una compañera de curso de Andi, cantó un villancico con su hermosa voz. Verdaderamente hizo mucha falta la tía Graciela para que sacara su pañuelo y se sonara ruidosamente, pues la voz de Nayibe siempre la hacía llorar.

Después se fueron a pie para la casa, mirando de vez en cuando a través de las ventanas las luces de los árboles de Navidad. Cuando llegaron a casa, los trillizos estaban muy emocionados, pero tuvieron que esperar hasta que papá y mamá terminaron de poner los regalos bajo el árbol y encendieron todas las velas.

—¡Vayan arriba y llamen por teléfono a Cristina! —les dijo mamá.

Cristina estaba en la misma clase de Carlos y era la mejor amiga de los tres. Vivía en la casa de al lado y había jugado con los trillizos desde que todos tenían un año de edad.

Arriba, en su habitación, papá y mamá tenían otro teléfono. Beni fue el primero en llegar y llamó a Cristina. Sin embargo, Cristina no tenía tiempo pues estaba con la abuelita, la tía y los primos.

—¡Lo debes estar pasando muy bien! —le dijo Beni con un poco de envidia.

—¿Y tu tía, la gordita, no está allá? —preguntó Cristina.

—No —contestó Beni.

Mientras tanto Andi miraba en la libreta de teléfonos a ver a quién podía llamar para desearle feliz Navidad. Hablaron con dos amigos, con un vecino, con la señora Juliao y con el doctor Suárez, el médico. Éste no se alegró mucho, pues pensó que estaban enfermos.

Finalmente Andi quería llamar a Alexandra, la hermana de mamá. Tomó la libreta de teléfonos de mamá y marcó el número, pero cuando contestaron al otro extremo de la línea, escuchó una voz conocida que no era la de Alexa.

—¿Sí? —dijo la voz. Andi miró confundido a Beni y a Carlos, y todos pegaron las cabezas contra el auricular.

—¿Con quién hablo? —preguntó la voz. ¡Era la voz de la tía Graciela!

Andi alejó el auricular de su oído y lo sostuvo en el aire.

—¿Por qué no habla nadie? —dijo la tía Graciela. Luego se oyó un clic. Había colgado.

Los trillizos corrieron escaleras abajo.

—¡Papá! —gritó Beni.

—¡Mamá! —gritó Andi.

—¡Esperen un momento! —gritaron en coro papá y mamá.

—¡Papá! —gritó Carlos—. ¡Graciela no se ha ido! ¡Está en su casa!

En la sala cesaron las carreras y los

crujidos. La puerta se abrió y apareció la cabeza de papá:

—¿Qué dijiste? —preguntó.

—Por equivocación marqué su número telefónico —explicó Andi agitado—. Y ella contestó y preguntó: «¿Con quién hablo?», pero yo estaba tan sorprendido de oír su voz que no pude decir nada.

—¡Es cierto! —gritaron Beni y Carlos.

Papá desapareció en la sala. Se pudo escuchar que hablaba en voz baja con mamá y después se oyó que alguien soplaba para apagar las velas. Luego papá salió nuevamente de la sala.

—¡Pónganse las chaquetas! —dijo—. Vamos a traer a Graciela.

—Pero tú querías pasar Navidad sin ella aunque fuera una sola vez —objetó Carlos.

—¿Yo dije eso? No lo recuerdo —gruñó papá.

Cuando se detuvieron frente a la casa de Graciela pudieron ver desde abajo que la luz del segundo piso estaba encendida. Subieron las escaleras y papá llamó a la puerta. Se oyó ladrar a King y luego Graciela abrió la puerta. Estaba un poco más pálida que de costumbre y sus ojos estaban algo enrojecidos.

—¡Graciela! ¿Qué haces aquí? ¿No te ibas para donde una amiga? —exclamó papá.

Graciela bajó la vista y murmuró:

—Sí, pero se enfermó repentinamente.

—¿Y por qué no nos llamaste? ¿Crees que te vamos a dejar pasar la Navidad sola? ¿A ti, mi prima?

Graciela levantó la cabeza y miró a papá a los ojos.

—Una prima tan sólo es una familiar lejana —dijo—. Y yo pensé que después de todos estos años era conveniente que ustedes pasaran una Navidad solos.

Ahora fue papá quien bajó la vista, y los trillizos se dieron cuenta de que las orejas se le enrojecían un poco. Hubo una pausa. Papá carraspeó dos veces, levantó la vista y dijo:

—Sinceramente, nosotros también pensamos eso —carraspeó nuevamente—. Pero, aunque no lo creas, ¡Navidad sin ti, no es Navidad!

Graciela se sonó la nariz (tan ruidosamente como siempre) y exclamó tan fuerte que retumbó en la escalera:

—¡Te podría comer a besos ya mismo, Claudito!

—Por favor, no lo hagas —dijo papá.

Graciela le hizo caso, pero llenó de besos a los trillizos. Dejó salir a King de la sala, se pintó los labios, se puso el collar de perlas, tomó un ramo de flores de un jarrón y salió. Mamá se había quedado en casa y mientras tanto, por si acaso, se puso pantalones largos.

Al oír tocar el violín, King empezó a aullar y a correr en círculos y trató de morderle el talón a papá. Graciela quería ayudar en todo y cantó muy fuerte. Les regaló cosas inútiles y elogió el árbol navideño que también esta vez estaba un poco torcido. Todo transcurrió tan ruidosa y alegremente como siempre y también tan agotadoramente como siempre: ¡Una auténtica Navidad!

CAPÍTULO VI

LOS HERMANOS ABC SE ENAMORAN

En un extremo de la calle en donde vivían los hermanos ABC había una vieja casona rodeada por un gigantesco y abandonado jardín. Allí vivían dos hermanas muy ancianas, que a menudo salían a caminar tomadas del brazo. Eran unas viejitas muy amables, según decían todos los niños, pues tenían la costumbre de repartirles caramelos a los niños que les dijeran «Buenos días». Los trillizos siempre les decían «Buenos días» y cuando las hermanas regresaban de caminar les decían nuevamente «Buenos días». A ellas siempre se les olvidaba a quién ya le habían dado caramelos. Un día las dos ancianas dejaron de aparecer, y la gente empezó a decir que se habían ido a un ancianato.

Mes tras mes el jardín que rodeaba la casona se volvía más triste. Las flores empezaron a ahogarse entre la maleza, la pintura de las paredes se cayó y las tejas del techo empezaron a rodar hasta el piso. Un día incluso aparecieron rotos algunos vidrios de las ventanas.

Y entonces, súbitamente, cuando empezaron las vacaciones de mitad de año, la vieja casona empezó a revivir. Todos los días muy temprano un tropel de obreros entraba en acción. Pintaron las paredes, arreglaron techos y ventanas, arrancaron la maleza del jardín, y, a lo largo de la calle, pusieron un enrejado muy alto con una puerta ornamentada.

Todos los vecinos sentían curiosidad de saber lo que iba a pasar. Los trillizos no querían irse de vacaciones a donde la abuela sin saber qué pasaba con la casona, pero no pudieron hacer nada.

Cuando regresaron, el último día de

vacaciones, Carlos, que siempre era el primero en levantarse, se llevó una gran sorpresa cuando salió a la calle.

En las ventanas de la vieja casona habían puesto unas cortinas nuevecitas, y en la puerta de la reja habían puesto una placa, en la que decía en letra muy bonita:

DR. G. SILVA/DRA. E. SILVA MEDINA.

También había otro aviso sobre la reja, en el cual se advertía que había que tener cuidado con el perro. Se trataba de un enorme perro Terranova que en ese momento observaba con sus ojos color ámbar a Carlos.

A Carlos le encantaban los perros grandes.

—Oye, tú —le dijo al Terranova. Carlos nunca se imaginó que el perro le fuera a contestar y por eso quedó sorprendido cuando una vocecita le contestó: «Oye, tú».

La voz, sin embargo, no era la del perro, sino la de una niña que salió de detrás de un pino recién sembrado. Carlos se dio cuenta inmediatamente de que era una niña muy especial. Tenía el cabello largo y rizado, de un color rojo increíble, y enormes ojos brillantes. A pesar de que simplemente llevaba puesta una camiseta y unos jeans, parecía una princesa.

La miró atontado un rato, empezó a sentir su cara muy caliente, y finalmente balbuceó algo que sonó como «Buenos días». La niña lo miró con sus enormes ojos, pero no respondió nada.

—Yo le dije «Oye, tú» al perro —dijo apresuradamente Carlos. No quería que ella creyera que él había saludado a una princesa así.

—Eso fue lo que oí —dijo la vocecita. A Carlos le pareció que cantaba—. ¿Vives por aquí?

—Sí —dijo Carlos. Nunca se había sentido tan feliz de vivir en esa calle. El perro se acercó y le lamió la mano a través de la reja.

—¿Y cómo te llamas? —le preguntó la niña.

—Carlos —contestó Carlos. Pensó que sus padres le hubieran podido poner un nombre más elegante. Había demasiados señores llamados Carlos en el vecindario.

Sin embargo, a la princesa le pareció muy bien el nombre.

—Yo me llamo Violeta —dijo ella—. Y este es Nabucodonosor, pero, como ese nombre es tan largo, le decimos Nabu.

Al oír su nombre el perro se sentó a los pies de la niña. Ella se sentó encima de él como si fuera un sofá y miró a Carlos con sus brillantes ojos.

—¿Quieres jugar con él? —le preguntó a Carlos.

—¡Por supuesto! —exclamó él.

—A mí no me gusta jugar con niñas. Son muy tontas —dijo Violeta.

—Sí —dijo Carlos con todo el corazón. Se le había olvidado por completo que casi todos los días jugaba con Cristina.

—Yo soy una niña —dijo Violeta.

A Carlos se le calentaron las orejas.

—Sí, bueno... yo juego con algunas niñas —tartamudeó—. Algunas no son tontas.

—Tal vez otro día —dijo Violeta por encima del hombro pues ya había dado la vuelta y se dirigía hacia la casa.

Carlos la miró confundido. ¿Por qué se le había ocurrido decir que las niñas eran tontas? Ahora ella no iba a querer jugar con él. Se quedó esperando algunos minutos pero Violeta no volvió a aparecer. Una cortina en una ventana del segundo piso pareció moverse un poquito, pero no sucedió nada más.

Carlos giró sobre sus talones y corrió hacia la casa. Corrió lo más rápido que pudo, llegó hasta la cocina y abrió bruscamente la puerta.

—¡Se llama Violeta! —gritó.

—Qué es eso, ¿una adivinanza? —dijo papá, acariciándole la cabeza.

—¿Te volviste loco? —rezongó Andi, mientras ponía su desayuno sobre la mesa.

—Tiene un perro enorme —dijo Carlos.

—Fue solo un sueño, mi pequeño —dijo mamá cariñosamente. Carlos tenía ganas de pegarles a todos. ¿Qué hacían comiendo huevos y tomando café, cuando a unas casas de allí vivía la princesa más hermosa del mundo? Se hundió en una silla.

—Parece una princesa y se llama Violeta —murmuró.

—Violeta... ése no es un nombre muy común —dijo mamá.

—Tiene una voz como de violín —dijo Carlos embelesado.

Andi y Beni empezaron a reírse.

—Está enamorado, está enamorado —cantó Beni.

Normalmente Carlos se hubiera disgustado por esto, pues pensaba que estar enamorado era la mayor vergüenza que podía existir. Pero lo que ahora sucedía era distinto, y lo único que contaba era que él acababa de conocer una princesa.

—Esperen hasta que la vean —dijo furioso.

Más tarde los tres salieron a montar en bicicleta, pero a pesar de que pasaron por lo menos unas cincuenta veces por la vieja casona no descubrieron la más mínima huella de Violeta.

A la mañana siguiente supieron que Beni había tenido la suerte de quedar en el mismo curso que Violeta.

—Hola, Carlos —le dijo Violeta al verlo.

—Yo no soy Carlos, soy Beni —dijo Beni—. Carlos es mi hermano trillizo.

Violeta lo miró asombrada:

—¿De verdad?

Durante el recreo pudo comprobar que realmente había tres Carlos, y aquello le encantó. Violeta conocía muchos lugares del mundo pues su familia se había mudado varias veces. Sin embargo, nunca en su vida había visto a unos trillizos, así que les permitió acompañarla hasta la casa. Carlos le llevó el morral y Beni le llevó la bolsa donde ella había llevado la ropa de gimnasia.

Cristina iba algunos pasos atrás de ellos. A ninguno se le había ocurrido nunca llevarle a Cristina el morral o la bolsa con sus implementos deportivos. Andi estaba muy ocupado tratando de averiguar qué juegos tenía Violeta. Supo que ella tenía una mesa de ping-pong, varios juegos de computador, aproximadamente treinta juegos de dados, un televisor propio y también su propia videograbadora. Además en la casa había una piscina y un sauna en el sótano.

—Ojalá sea cierto —dijo Andi.

Violeta le lanzó una mirada chispeante.

—Si quieres puedes comprobarlo tú mismo, a las tres y media.

A las tres y veinticinco los trillizos estaban llamando a la puerta de la casa de Violeta. Aunque ella le había dicho a Andi: «Si quieres puedes venir» y no «Si quieren pueden venir», Beni y Carlos estaban firmemente convencidos de que eso último era lo que Violeta había querido decir. La voz de Violeta, un poco distinta, se escuchó a través del interfono de la reja:

—¿Quién es?

—Soy yo, Andi —dijo Andi sorprendido—. Te había dicho que vendría.

—No dijiste que vendrías, yo sólo dije que podías venir —le contestó la voz transformada de Violeta—. Éste no es un buen momento, pero...

La puerta zumbó y luego, como si lo hubiera hecho la mano de un fantasma, se abrió. Con la mano Andi le indicó a Beni y a Carlos que desaparecieran. Si él había llegado en un mal momento, era mejor que no vinieran sus hermanos.

Pero Beni y Carlos no le hicieron caso

y traspasaron la puerta, que se cerró silenciosamente tras ellos. Muy tímidamente avanzaron hacia la casa. Esto era raro, pues los trillizos nunca eran tímidos cuando estaban juntos.

En la puerta de la casa había otro timbre. Se oía ladrar al perro dentro de la casa y por un instante se vio aparecer el rostro de Violeta detrás de los vidrios de la puerta. Luego abrió. Tenía una gran cinta en su pelo rojo y llevaba puesta una camiseta blanca con rayitas verdes. Incluso Andi, quien solamente había venido a ver la piscina, quedó mudo unos instantes. Violeta era realmente la niña más linda de los alrededores.

—¡Entren! —dijo ella y jaló a Nabu del collar para quitarlo de la entrada.

Los hermanos entraron en fila india a la casa. Nabu olfateó a cada uno de ellos antes de irse a su estera, que se encontraba en un rincón del vestíbulo. Los trillizos, todavía muy tímidos, miraban al piso. Lo peor era que Violeta no decía nada. Podría haber dicho, por ejemplo: «¡Qué bien que hayan venido!» o «¡Bueno, vamos a mi alcoba!» Pero no decía ni una sola palabra. ¿Habían llegado realmente en un mal momento?

Finalmente a Andi le volvió el ánimo. Pensó que era una estupidez quedarse una eternidad mirando el piso.

—¿Dónde queda la piscina? —preguntó. Era el que menos creía que allí hubiera una piscina.

Carlos se sintió horriblemente avergonzado. Andi nunca era amable. Afortunadamente a Violeta no le importó y les hizo una seña para que la siguieran.

—Primero les voy a mostrar la sala —se dirigió hacia una enorme puerta de vidrio y la abrió. La sala era enormemente grande y alta. Del techo colgaba una resplandeciente lámpara de cristal y el piso estaba completamente cubierto por suntuosos tapetes. Por todas partes había armarios, cómodas, sofás, mesas y asientos de madera reluciente.

—Todos los muebles son exclusivos —dijo Violeta.

—¿Qué significa «exclusivo»? —preguntó Beni cautelosamente.

Violeta lo miró sin decir nada y cerró nuevamente la puerta.

—Aquí no se puede jugar porque de pronto se dañan los muebles —dijo ella.

En su casa los trillizos tenían dos sofás viejos, sobre los cuales cabalgaban a través de praderas o daban saltos de trampolín. Comprendieron inmediatamente que no podían hacer lo mismo en los sofás de la sala de Violeta.

—Ahora el comedor —anunció Violeta. El comedor también era enorme y tenía muebles antiguos y relucientes, que según parecía no se podían usar.

La cocina, por el contrario, era muy moderna y estaba repleta de máquinas interesantes que a Beni le hubiera gustado mucho ensayar, pero Violeta no se lo permitió. Les mostró además la alcoba y el baño de sus padres, dos gabinetes de trabajo y su alcoba en el segundo piso. Tenía un baño para ella sola. Eso fue lo que más le impresionó a Beni. Fingió que tenía ganas de entrar al baño. Y mientras Violeta mostraba a sus hermanos los juegos que tenía, se sentó en la bañera a observar el baño, los hermosos espejos y los tapetes adornados con pequeñas guirnaldas. Estaba ensayando las llaves del agua cuando Andi lo llamó y tocó a la puerta.

—¿Y dónde está la piscina? —preguntó Andi. Nunca se le olvidaba a qué había ido a un determinado sitio.

Violeta bajó con ellos al primer piso. Les mostró primero el sauna y la mesa de ping-pong. Andi, que ya no podía aguantar más la curiosidad, abrió la puerta y tras ella vio efectivamente la piscina enchapada en azulejos.

—¿Tan pequeña? —dijo Andi. Lo dijo únicamente para que Violeta no se sintiera muy presumida por tener una piscina.

—¿Tiene olas? —preguntó Beni.

—Claro que no —dijo Violeta—. Las piscinas privadas nunca tienen olas. Pero tiene un dispositivo de contracorriente.

—¡Magnífico! —exclamó Carlos sin saber qué sería eso, pero le parecía magnífico todo lo que Violeta decía.

—¿Puedo ir a traer rápidamente mi pantalón de baño? —preguntó Andi.

—No —dijo Violeta—. No puedo bañarme en la piscina cuando estoy sola.

—Pero no eres tú quien va a bañarse, sino yo —dijo Andi—. Tengo carnet de nadador y estoy practicando natación de salvamento.

Violeta titubeó, pero Andi ya había salido corriendo.

CAPÍTULO VII

CARLOS DEJA CAER EL MARTILLO DE BENI

Fue una tarde fabulosa. Andi se bañó en la piscina, Beni vio películas e iba de vez en cuando a mirar el maravilloso baño y Carlos jugó con Violeta dados y la dejó ganar.

A las seis y media llegó a casa la mamá de Violeta, la doctora E. Silva Medina. En ese momento los trillizos recordaron que debían haber estado a las seis de regreso en casa. La mamá de Violeta no era ni la mitad de bonita que su hija y parecía un tierno ratoncito gris. Hablaba tan rápido que apenas se le entendía. Sin embargo, los trillizos alcanzaron a oír que la mamá de Violeta se alegraba de que Violeta hubiera encontrado amigos tan pronto y que los trillizos podían volver cuando quisieran.

¡Y con qué gusto volvieron! Todos los días iban a la casa de Violeta a disfrutar a sus anchas de todas las cosas maravillosas que había. Afortunadamente Violeta no tenía más amigos. Claro que los trillizos hubieran ahuyentado a todo aquél que se hubiera atrevido a jugar con ella.

Los días fabulosos pasaron uno tras otro, pero después de algún tiempo los trillizos ya no estaban tan contentos. No sabían bien por qué, pero Andi ya no se divertía tanto salvando las muñecas *Barbie* de Violeta de que se ahogaran, ni nadando de espaldas en la piscina mientras Beni le construía a Violeta una casita en el viejo árbol que quedaba detrás de la casa. A Beni no le gustaba clavar tablas cuando Violeta no estaba mirándolo desde debajo del árbol, sino practicando violín con Carlos. Y a Carlos no le divertía escuchar los discos de los padres de

Violeta mientras ella estaba en el primer piso con Andi.

Finalmente Andi, Beni y Carlos entendieron lo que pasaba: lo que más le gustaba a cada uno era cuando cada uno de ellos estaba solo con Violeta. A Violeta también le parecía que lo más agradable era estar sola con Andi o con Beni o con Carlos. Se cansaba mucho corriendo de un lado al otro para estar con los tres y le disgustaba no poderse quedar un buen rato con ninguno de ellos para no hacer sentir mal a los otros dos.

Por esa razón los hermanos ABC decidieron turnarse para ir a donde Violeta. Carlos iba siempre los lunes. Todo el fin de semana estaba feliz pensando en el lunes. El martes iba Beni, y Andi tenía que esperar hasta el jueves, pues el miércoles Violeta tenía clase de ballet. Los viernes Violeta tenía clase de equitación y cuando regresaba, a las cinco de la tarde, Carlos iba a visitarla. No soportaba una semana entera sin Violeta. Afortunadamente, los viernes Beni tenía entrenamiento de fútbol y Andi, clase de judo, de no haber sido así hubiera sido inevitable que los tres fueran a visitarla.

Andi quería casarse con Violeta, aunque nunca antes había pensado en casarse. Beni también quería casarse con ella. Por supuesto todo dependía de que Violeta quisiera casarse con alguno de los dos. Beni le construyó una linda casita en el viejo árbol, le hizo una banca y le puso techo de corteza de árbol; estaba convencido de que esto le parecía a Violeta mucho mejor que ver a Andi hacer piruetas en la piscina. Al fin y al cabo en una casita hecha en un árbol uno puede estar sentado años enteros, comer pan con mermelada o helados y pensar en la persona que la construyó. Una pirueta en la piscina en cambio se termina apenas uno acaba de hacerla y quién la ve hacer no recibe nada. ¿Acaso hay algo de interesante en unos dedos o en unos talones que salen del agua de vez en cuando? Beni nunca le dijo esto a Andi, pues Andi era un poquito más fuerte que él, y además sabía judo.

Carlos no decía absolutamente nada. Sin embargo, todas las noches soñaba con los enormes ojos de Violeta. Hasta dejó de gustarle tanto el violín. «Andas como en la Luna», le dijo un día la señora Juliao.

—¿Te parece que Violeta es bonita? —le preguntó Carlos a papá un día que arreglaban el bote de remos en el jardín. Hizo esta pregunta como quien no quiere la cosa, después de haber hablado de lo mismo con varias personas. En realidad no quería preguntarle eso a su papá, pero cuando uno está pensando siempre en la misma persona, tiene que hablar acerca de ella. Papá continuó arreglando el bote sin mostrar ningún interés en la pregunta. Carlos tuvo que repetirla otra vez antes de que papá refunfuñara:

—¿Violeta? ¿La pequeña pelirroja? Ah, sí, es muy linda, como todas las niñas de esa edad.

Y como mamá pasaba precisamente en ese momento, papá dijo en voz alta:

—Pero eso no es lo importante, hijo Mira por ejemplo a esta joven dama. Su nariz no tiene precisamente la forma ideal, ¿no? Mirándola bien, se podría denominar una nariz con forma de papa. Y a pesar de ello me casé con ella, pues lo que importa es la belleza interna.

Mamá le lanzó un repollo que acababa de recoger del huerto que tenían en el jardín. Papá se agachó y el repollo fue a caer entre el balde con agua y jabón que tenía listo para limpiar el bote.

—Y además es malgeniada —dijo papá tiernamente.

Carlos lanzó un suspiro. No era fácil tener papás tontos. Le hubiera gustado saber qué opinaba de Violeta alguien que no estuviera enamorado de ella. Su mayor preocupación eran Andi y Beni. ¿Cómo se iba a decidir Violeta entre tres hermanos que eran casi idénticos?

«Y cuando se decida», pensó Carlos, «¿no lo hará por Andi que es tan deportista, tan fuerte y tan valiente? ¿O por Beni que quizás después le construya un barco o un cohete?» Lanzó otro suspiro.

Una buena tarde sucedió algo espantoso. Algo que, en el fondo, Carlos había temido todo el tiempo. Y sucedió por un accidente bobo. Sin embargo, hubiera sucedido de todas maneras.

Primero Carlos tropezó contra el barco de vapor que Beni había construido con fósforos. Y si bien es cierto que papá le había ayudado, la verdad es que Beni había hecho solo la mayor parte, y el barco era precioso. Solamente le faltaba el toque final, las estructuras de la cubierta. Beni había puesto cuidadosamente el barco sobre su base de madera en el piso, y había ido a traer pegante del escritorio en el momento preciso en que Carlos entró.

Sin mirar a la izquierda, sin mirar a la derecha, pensando ya sabemos en quién, Carlos entró y tropezó contra el barco de vapor, se escuchó un crujido y el barco se rompió en pedazos. Después vieron que el daño no era tan grave: Papá pegó de nuevo las partes y no se quedó notando nada. Sólo que, cuando sucedió, Beni no sabía eso.

Apenas entró y vio su barco despedazado, se abalanzó sobre Carlos. Carlos sabía lo duro que su hermano había trabajado haciendo el barco, y estaba muy avergonzado de haber sido tan torpe. Por eso no trató de defenderse. Beni gritaba, le pegaba y decía palabrotas, las peores que se le ocurrían. Por último rugió:

—Eres un estúpido. Violeta lo dijo. ¡Eres un burro! No puedes hacer nada bien, y Violeta piensa lo mismo.

Carlos se puso rojo y empezó a darle golpes en la cara a Beni.

—¡Mientes! —gritó.

—Pregúntale tú mismo —aulló Beni, tocándose la nariz—. ¡Ahora también me rompiste la nariz, estúpido!

En ese momento llegó mamá y los separó. Le puso una toalla en el cuello a Beni, recogió los pedazos del barco, miró muy disgustada a Carlos y le dijo que no podría ver por televisión el juego del mundial de fútbol de ese día.

«No es justo», pensó Carlos. Beni inició inmediatamente su ataque de nuevo, esta vez contándole a su manera a mamá lo que había sucedido. Mamá ni siquiera preguntó si Carlos había dañado el barco intencionalmente, y le exigió que se disculpara con Beni. Cinco minutos antes lo hubiera hecho por iniciativa propia y le hubiera regalado a Beni un automóvil o un casete. Pero ahora no. No después de lo que Beni había dicho de Violeta. Carlos se acostó en la cama y se secó con la almohada el rostro humedecido por las lágrimas. Sentía un nudo en el pecho que se agrandaba. A lo mejor Beni había mentido solamente de rabia. Pero, ¿qué tal si fuera verdad que Violeta pensaba eso de él?

Por lo menos algo sabía: con ese dolor en el pecho no iba a poder comer nada. No iba a respirar más, ni a dormir nunca más, ni volvería al colegio. Carlos miró su reloj despertador. Eran las cinco y media. Era miércoles. Violeta ya había regresado de su clase de ballet.

Hizo un esfuerzo por darse ánimo. Se puso en pie y se miró en el espejo. Una cara con huellas de lágrimas pero decidida lo miró de frente. Era su cara, pero también era la cara de Andi y la cara de Beni. Dio la vuelta, sacó del armario la camiseta de Beni con la gran B color amarillo y se la puso. Se lavó la cara con agua fría. Después de limpiarse bien la nariz tomó el lápiz de cejas de mamá y se pintó tres pequitas en la punta de la nariz, exactamente iguales a las que tenía Beni en la punta de la nariz. Luego se peinó el pelo a los lados un poco hacia atrás, tal como lo hacía Beni cuando iba a visitar a Violeta.

No había nadie en el corredor. En la sala se oía la voz fuerte y agitada del narrador de fútbol. Fue al garaje, tomó el martillo de Beni y salió corriendo hacia la casa de Violeta. La encontró en el jardín jugando con Nabu.

—Oye, Beni —dijo sorprendida—. Hoy no es tu día.

—Solamente quería mirar la casita del árbol —dijo Carlos. Todavía me falta clavar una puntilla y por eso traje el martillo.

Carlos se dio cuenta de que Violeta no parecía especialmente alegre de ver a Beni. Trepó rápidamente el viejo árbol para evitar que Violeta lo mirara a los ojos, pues no era muy bueno para decir mentiras. Dio unos cuantos martillazos por aquí y por allá, tragó saliva y le gritó a Violeta que estaba abajo:

—¿Qué opinas de Carlos?

—¿Por qué lo preguntas? —exclamó Violeta un poco sorprendida.

Carlos martillaba la madera como loco.

—Simplemente se me ocurrió —dijo. Su voz temblaba un poquito. Ojalá Violeta no lo notara—. ¿Qué opinas de él?

—Es loco —gritó Violeta y se puso a jugar otra vez con su perro Nabu.

—¿Que qué? —gritó Carlos

—¡Lo-co! —gritó Violeta mucho más fuerte—. ¡Es chiflado! ¡Estúpido! ¿Entiendes? ¡Él y su violín...!

El martillo se le resbaló de las manos a Carlos y faltó muy poco para que le cayera encima a Violeta. Ella saltó asustada hacia un lado.

—¿Qué te pasa?

Carlos bajó rápidamente del árbol y se raspó las manos con la dura corteza de éste. No se dio cuenta de que le sangraban. Se paró muy cerca de Violeta y le gritó:

—¡Sí! ¡Soy loco, estúpido, chiflado! ¡Y aburridor! ¡Yo y mi violín!

Violeta puso una cara muy tonta. Y luego hizo una cara muy desconcertada.

—Ah —balbuceó—. Tú... no eres... pero Beni es un tonto... —su voz había dejado de sonar como un violín. O sonaba como un violín destemplado.

Carlos corrió hacia la puerta de la entrada, la abrió y desapareció.

—¡Tu martillo! —alcanzó a gritar Violeta detrás de él.

Si había algo que en ese momento no le importaba era el martillo. Entró precipitadamente en su casa, siguió a su alcoba y se metió debajo de las cobijas, esperando dormirse para no despertar nunca, nunca.

CAPÍTULO VIII

LOS TRILLIZOS SE TRANSFORMAN

Pero por más triste que uno esté, se despierta nuevamente, va a la escuela aunque no ponga atención, almuerza al medio día aunque coma poco, y habla un poquito. En pocas palabras: nadie se muere tan rápido como Carlos se imaginaba. Tres días después jugó con Cristina y cuatro días después le dijo a mamá:

—¡Voy a ir a la peluquería!

Mamá lo miró asombrada.

—¡Pero a mí me gusta mucho que tengas el pelo largo! ¡Además nunca has ido a la peluquería sin tus hermanos!

—Quiero verme distinto a Andi y a Beni —dijo Carlos—. Y yo mismo quiero decidir cómo quiero verme.

Mamá comprendió eso, a pesar de que se sintió algo triste. Sus tres niños se veían hermosos con los cabellos largos, pero ya no eran unos niños pequeños y ellos mismos sabían qué era lo que más les gustaba. Carlos recibió el dinero para la peluquería, y sacó lo que tenía en su alcancía. Quería que fuera un corte de pelo muy especial.

Fue a la peluquería del señor Berrío, que siempre jugaba ping-pong con papá los viernes. En la ventana de la peluquería ya no estaba el aviso de siempre: PELUQUERÍA BERRÍO. Recientemente habían puesto un toldo de color rosado luminoso sobre el cual se leía en grandes letras blancas:

SALÓN DE BELLEZA B - UNISEXO

La señorita que atendía la caja llevaba puesto un suéter rosado con la misma leyenda. No miró a Carlos cuando entró, sino que siguió mirando pensativamente sus largas uñas que tenían un esmalte color lila oscuro.

—Buenos días —dijo Carlos cortésmente.

La muchacha extendió un brazo y miró sombríamente la uña de su pulgar.

—¡Qué horror! —dijo.

Carlos se agachó y le miró la uña del pulgar. Estaba rota. Pensó que de verdad era un horror si uno pensaba en el tiempo que esas uñas habrían necesitado para alcanzar ese tamaño. Sin embargo, lo que Carlos quería era un corte de pelo. Carraspeó bastante duro.

—Tu mamá está arriba —dijo la muchacha sin levantar la mirada de su uña rota.

—¿Cómo? —preguntó Carlos sorprendido.

—El arreglo de cabello para las damas es arriba —dijo la muchacha impaciente—. Ve allá —evidentemente lo de la uña la había puesto de mal genio.

—Mi mamá no está aquí, y quiero un corte de pelo —dijo Carlos.

La muchacha no le puso atención. En ese momento bajaba por las escaleras el señor Berrío. La muchacha bajó rápidamente el brazo y, sonriendo dulcemente, le dijo a Carlos:

—¿Qué deseas, pequeño?

—Quiero un corte de pelo diferente —dijo Carlos, dirigiéndose al señor B (así llamaba papá al señor Berrío desde que habían puesto el toldillo en la peluquería).

—¡Con mucho gusto, chiquillo, con mucho gusto! —dijo el señor B haciéndole cosquillas a Carlos debajo de la nariz con el pincel que traía en la mano.

Carlos estornudó. El señor B lo llevó a la sala donde estaban los señores y los niños.

—Espera un momento, chiquillo, en seguida te voy a peluquear yo mismo —dijo. El señor B siempre decía «chiquillo» pues nunca sabía si se trataba de Andi, de Beni o de Carlos.

La silla de los niños estaba ocupada en ese momento por un niñito de cabello oscuro. Carlos observó cómo la peluquera le cortaba rápidamente el pelo de atrás con unas enormes tijeras. Y también observó cómo el niño se miraba en el espejo. Tenía unos ojos muy redondos y unas orejas grandísimas. El niñito cabeceaba de vez en cuando y recibía un regaño de la peluquera. Cuando terminó de cortarle el pelo de atrás, la señora empezó a cortarle adelante.

—¿Te parece suficientemente corto así? —le preguntó al niño.

El niño revolvió con sus manos por debajo de la sábana que sólo permitía que se le viera la cabeza y de alguna parte sacó un papel para dárselo a la peluquera.

—Éste es el número del teléfono —dijo el niño—. Llámala y pregúntale.

A Carlos eso le pareció una tontería. ¡La mamá no iba a ver por el teléfono qué tan corto tenía el pelo el niño! Además, ese niño tuteaba a los adultos. Ahora la peluquera comenzó a cortarle el pelo a los lados.

—¿Estudiaste cómo cortar el pelo? —le preguntó el niño a la señora.

—Claro —contestó ella y siguió cortando.

—¿También aprendiste cómo no cortar las orejas? —preguntó el niño. Esta pregunta no le pareció tan tonta a Carlos pues el niño tenía de verdad unas orejas muy grandes.

Le estaban cortando el pelo al lado de la oreja izquierda cuando el niño movió bruscamente la cabeza y levantó una mano. La peluquera quedó como paralizada: sin querer le cortó un dedo con las tijeras. El niño también quedó inmóvil, y miró muy asustado su dedo. Carlos alcanzó a ver que una diminuta gota de sangre se deslizaba por el dedo. Al ver la sangre el niño comenzó a gritar.

—¡Saaangreee! ¡Buá! ¡Mamá!

El señor B llegó corriendo.

—¡Dios mío! —exclamó—. ¿Qué pasó? —sacó del bolsillo de su blusa algunas barritas de chicle y se las metió al niño en la boca. Éstas, sin embargo, salieron volando.

—¡Saaangreee! —gritó el niño.

Algunas peluqueras y varias señoras con rulos en la cabeza se atropellaron en las escaleras. También entraron algunos curiosos que pasaban por la calle.

—¡Saaangreee! —gritó el niño.

—Póngale un vendaje, señorita Blanco —gritó el señor B.

—¡Vendas no! ¡Saaangreee! ¡Mamá! —siguió gritando el niño.

—Esta venda tiene un Mickey dibujado, querido —exclamó el señor B.

—¡Mickey no! ¡Mamá! —berreaba el chiquillo.

La peluquera tomó el papelito que el niño le había mostrado y se lo dio al señor B.

—¡Ahí está la dirección! —susurró.

—¡Señorita Núñez! —gritó el señor B. La muchacha de la uña rota se abrió campo por entre la gente. El señor B le dio el papelito y le empujó en los brazos al niño llorón.

—Llévelo rápido a casa —exclamó—. ¡Y que te mejores, cariño!

La señorita se fue llevándose al muchachito que lloraba inconsolablemente con el pelo corto del lado izquierdo y largo del lado derecho. A Carlos le dio lástima con la señorita Núñez. Hoy no había sido uno de los mejores días para la muchacha.

La sala quedó nuevamente vacía en un instante. El señor B se limpió el sudor de la frente y tomó una taza de café.

—Chiquillo de los demonios —dijo, y luego llamó a Carlos.

—Ven, vamos a tratar de hacer lo mejor —eso era lo que Carlos esperaba. Se subió en la silla.

—¿Cómo quieres que te corte el pelo? —preguntó el señor B.

—Hágame algo especial, algo que no tenga todo el mundo —contestó Carlitos.

—Muy bien —dijo el señor B, y trajo una revista con fotos de niños que exhibían cortes de cabello.

Le enseñó a Carlos una horrorosa cabeza de rizos, un corte estilo rastrillo, otro con el pelo corto adelante y a los lados, pero largo atrás.

—Se echa brillantina adelante y parece que estuviera mojado —le explicó el señor B—. Es muy elegante.

—Hágame ese corte —dijo Carlos.

El señor B puso inmediatamente manos a la obra. En otras oportunidades hablaba mucho, especialmente acerca de papá, al que llamaba «mi viejo». Pero hoy estaba muy silencioso. Seguramente a causa del griterío. Carlos miraba con los ojos medio cerrados trabajar al señor B. Primero le cortó el pelo que le caía por la frente, luego el que le caía por encima de las orejas. Carlos se quedó muy quieto para que el señor B no le fuera a cortar las orejas.

Aunque sintió un poco de miedo al ver cómo grandes pedazos de pelo caían al piso, al rato se tranquilizó, pues en el espejo comenzó a aparecer un nuevo Carlos. Un Carlos más despreocupado, más alegre y más atractivo. A Carlos le gustó mucho este nuevo Carlos y cuanto más trabajaba el señor B arreglándole adelante el pelo estilo cepillo, mejor se sentía. Por último el señor B le echó brillantina y trajo un enorme espejo para que Carlos pudiera ver cómo se veía su cabeza por detrás con los largos mechones que salían como plumas del cabello más corto y le llegaban casi hasta los hombros.

—Te ves muy bien —le dijo.

Carlos opinaba lo mismo. El señor B le cobró menos dinero del que mamá le había dado. Con el resto, Carlos se compró un helado, dos láminas autoadhesivas y un cuento. Se miró en varias vitrinas y casi que no se reconoció.

Cuando mamá le abrió la puerta le preguntó cortésmente:

—¿A quién necesitas?

—¡Pero si soy yo, Carlos! —dijo Carlos.

—No —exclamó mamá—, ¿de veras? ¡No puedo creerlo! ¡Te ves fantástico!

—¿Qué pasa? —gritó Beni desde su alcoba.

—Vengan a ver —dijo mamá—. Tienen visita. ¡Aquí está el primo Charlie que acaba de llegar de los Estados Unidos!

Andi, Beni y Cristina llegaron corriendo y lo miraron llenos de curiosidad.

—¡Uy, cómo te ves! —exclamó Beni. Pero Carlos notó en su voz algo de envidia. Andi no dijo nada, lo único que hizo fue mirar a Carlos con los ojos muy abiertos. Cristina le dio dos vueltas y opinó que el nuevo corte de pelo de Carlos era excelente.

Andi y Beni desaparecieron en el corredor. Habían ido a ponerse sus chaquetas.

—¿Por casualidad van para la peluquería? —les preguntó mamá.

—Sí —dijo Andi—. ¿Cómo lo supiste?

—Éste ha sido un día costoso —suspiró mamá.

Carlos se disgustó.

—Mamá —dijo—, yo fui a la peluquería porque quiero verme diferente de mis hermanos. No quiero que me confundan con ellos. No tengo ganas de seguir siendo parecido a ellos. Quiero verme como Carlos y no como Andi o como Beni.

—Sí —dijo mamá—, tienes razón —enseguida telefoneó al señor B y le dio instrucciones muy exactas.

Cuando Andi y Beni volvieron a casa, Beni tenía el pelo de atrás la mitad de largo que el de Carlos. Y Andi lo tenía solamente la mitad de largo que Beni, es decir, casi tan corto como su corte estilo cepillo adelante.

Carlos miró agradecido a mamá. Ahora definitivamente nadie lo podría confundir con sus hermanos.

Únicamente papá, quien en ciertas cosas era bastante lento, tenía dificultades.

—¿Cómo voy a hacer para saber cuál de ustedes es mi hijo B? ¿Es el que tiene el pelo largo atrás? ¿O ése es el hijo A? ¿Es el hijo C el del pelo más corto? ¿O es el que no tiene el pelo tan largo ni tan corto? ¿Cómo hago para saberlo? —dijo mientras limpiaba bien sus gafas.

—Es muy sencillo —dijo mamá—. Carlos es el que tiene cara de Carlos. Andi es el que se ve como Andi y el otro es obviamente Beni. Y como todos son distintos, pero se ven muy parecidos, entonces siguen siendo lo que siempre fueron: ¡Nuestros trillizos ABC!

Torre azul (a partir de 9 años):

El misterio del hombre que desapareció
María Isabel Molina Llorente

Tres niños y un perro de un pequeño pueblo español descubren un delito. Un hombre ha desaparecido y los vecinos lo dan por muerto. Es ésta una aventura que mantiene el suspenso hasta el último capítulo y que permite a los niños actuar como detectives.

Cuentos y leyendas de Rumanía
Angela Ionescu

Los cuentos y leyendas reunidos en este volumen por Angela Ionescu, española de origen rumano, son todos de la tradición oral popular. Algunos están poblados de personajes fantásticos; otros convierten en poesía batallas legendarias; otros resaltan la astucia y las hazañas de los débiles. Todos hacen gala de la sabiduría, el ingenio y el humor presentes en los relatos de la tradición oral de todos los pueblos.

La ratoncita-niña y otros cuentos
León Tolstoi

Este libro reúne leyendas tradicionales, fábulas, cuentos e historias cortas en las que se ven reflejadas las costumbres y el carácter del pueblo ruso.

El pájaro verde y otros cuentos
Juan Valera

Los cuentos populares han constituido siempre una fuente literaria para los grandes autores. Esta versión de Juan Valera, de cinco cuentos europeos tan universales como los anhelos profundos de la humanidad que los originan, maravillará a los lectores de hoy.

Leyendas de nuestra América
Ute Bergdolt de Walschburger

Este libro recoge veintitrés leyendas de la tradición oral de once países hispanoamericanos, que reflejan las costumbres y las creencias de los pueblos del continente antes y después de la conquista española.

La redacción
Evelyne Reberg

Enrique regresa a su casa después de asistir al colegio, y todo anda mal: no hay chocolate en la despensa, su mamá no deja de hacerle preguntas fastidiosas y, sobre todo, ¡tiene que hacer una redacción para el día siguiente! Él y su compañero Esteban salen en busca de temas para la redacción, y se ven envueltos en una serie de situaciones extraordinarias y divertidas.

Diecisiete fábulas del zorro
Jean Muzi

Este libro recoge diecisiete fábulas tomadas de la literatura popular árabe, persa, turca, africana y europea. En todas ellas el zorro, maestro en el arte de salir de encrucijadas y de obtener hábilmente todo cuanto desea, despliega todo su ingenio en jugarles sucio tanto a los hombres como a sus semejantes, a quienes logra vencer gracias a su astucia legendaria.

Diecisiete fábulas del rey león
Jean Muzi

En estas divertidas fábulas, que provienen de diversas partes del mundo, el rey de los animales se da cuenta de que su fuerza y ferocidad no siempre son superiores a la astucia de otros animales.

Dieciocho fábulas del lobo malo
Jean Muzi

El lobo malo de los cuentos tradicionales es el protagonista de estas fábulas recogidas en diversas partes del mundo. En ellas, el lobo se dará cuenta de que el miedo que los animales le tienen no es suficiente para hacer que también lo respeten.

Deseado
Patrick Hullebroeck

Anatol se propone pasar unos días de vacaciones en casa de Nina Zapresky, una parienta lejana de quien sabe muy poco. Cuando llega a la inmensa casa, habitada no más que por un feo criado y una vieja hechicera, Anatol se encuentra con que su tía ha desaparecido y se ve envuelto en una gran aventura misteriosa en la que lo acompaña Deseado Eterno, el sapo. Juntos emprenden una extraordinaria travesía en búsqueda de Nina y, después de numerosos obstáculos, llegan al maravilloso Reino de Hiper-Extra, oculto tras las Puertas de Bronce.

El misterio del punto ciego
Christine Ehm

Al bajar la escalera, Gran Lu se parte una pierna. Un extraño médico de lentes oscuros lo atiende y le dice que debe quedarse quieto y tranquilo en su cama para que la pierna sane. Gran Lu se aburre y pasa el día mirando por la ventana. Entonces nota que en el gabinete del extraño médico, al otro lado de la calle, ocurren cosas raras.

Angélica
Lygia Bojunga Nunes

Angélica es una cigüeña que se siente indignada porque su familia insiste en conservar un antiguo mito sobre las cigüeñas. Con un grupo de amigos, Angélica escribe y representa una obra de teatro en donde se cuestionan muchos mitos y costumbres de la sociedad actual.

La vida secreta de Hubie Hartzel
Susan Rowan Masters

Hubie tiene la cabeza llena de fantasías. Cuando sueña despierto, su imaginación le hace vivir situaciones increíbles. Sueña que es una estrella de rock o un campeón de peso pesado. Soñar despierto y hacer dibujos son sus dos formas de escapar de la realidad cuando la vida parece un desastre. Pero los problemas de la vida real no se solucionan soñando, y Hubie tendrá que enfrentarlos.